Tahirul Islam

Culturele Chutzpa

Een Trope in Amartya Sen's De Argumentatieve Indiaan

GlobeEdit

Imprint

Cover image: www.ingimage.com

Publisher:
GlobeEdit
is a trademark of
International Book Market Service Ltd., member of OmniScriptum Publishing Group
17 Meldrum Street, Beau Bassin 71504, Mauritius

Printed at: see last page
ISBN: 978-620-0-50971-0

Beste lezer,

het boek dat u in uw bezit heeft werd oorspronkelijk gepubliceerd met de titel "Cultural Chutzpa: A Trope in Amartya Sen's The Argumentative Indian", ISBN 978-613-8-82587-6.

De publicatie ervan in het Nederlands werd mogelijk gemaakt door het gebruik van de modernste kunstmatige intelligentie voor talen.

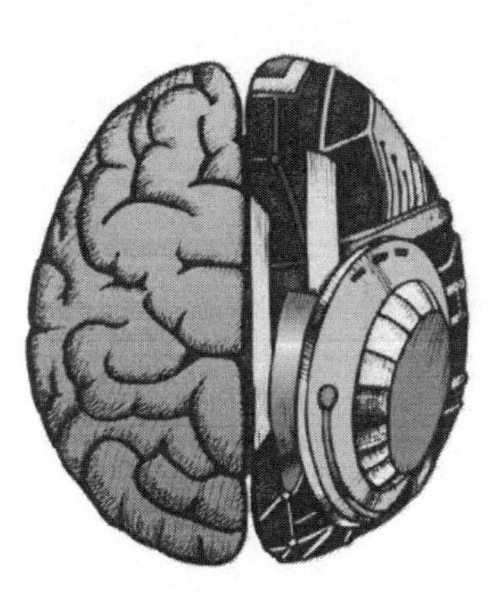

Deze technologie, die in september 2019 in Berlijn de eerste Ere-AI-prijs ontving, is vergelijkbaar met de manier waarop het menselijk brein functioneert en is daarom in staat om de kleinste nuances op een voorheen onbereikbare manier vast te leggen en over te brengen.

Wij hopen dat u veel plezier zult beleven aan dit boek en vragen u rekening te houden met eventuele taalkundige verschillen die uit dit proces kunnen zijn voortgekomen.

Veel leesplezier!

GlobeEdit

Aan mijn geliefde ouders

INHOUD

DANKWOORD

Eerst en vooral gaat mijn oprechte dankbaarheid en waardering uit naar mijn supervisor Dr. Sharmistha Chatterjee Sriwastav, hoofd van de afdeling, afdeling Engels, Aliah University, voor haar vindingrijkheid in het geven van relevant advies, kritisch commentaar en constructieve suggesties tijdens het schrijven van deze Masterscriptie.

Ook ben ik alle docenten van de afdeling Engels, Aliah University - Prof. Amzed Hossein, Dr. Tajuddin Ahmed, Dr. Safiul Islam, Dr. Sohel Aziz, Rohan Hassan en Hasina Wahida zeer erkentelijk voor het feit dat ze hun deuren altijd wijd open hebben gehouden voor mij.

Ik ben ook dankbaar voor mijn lieve vrienden, die met hun voortdurende steun mijn moed hebben versterkt.

Ik wil ook graag liefde en genegenheid uit de grond van mijn hart overbrengen aan mijn ouders en broers, wiens steun me altijd in beweging houdt.

Ten slotte worden alle middelen die voor de totstandkoming van dit proefschrift zijn gebruikt, naar behoren erkend.

INLEIDING

De Nobelprijswinnaar Indiase econoom, een veelzijdig genie, een door en door academisch persoon met een uiterst scherpe geest en een buitengewone geleerde gewapend met een ongeëvenaarde faculteit van logica en redenering prof. Amartya Sen werd geboren op 3 november 1933, op de campus van Rabindranath Tagore's Visva-Bharati (een school en later een universiteit) waar zijn grootvader van moederszijde, Kshiti Mohan Sen, Sanskriet en de oude en middeleeuwse Indiaanse cultuur onderwees en waar zijn moeder Amita Sen ook student was geweest en hij lijkt zijn hele leven op de ene of de andere campus te hebben gewoond. In feite is zijn voorouderlijk huis in Wari in Old Dhaka ook vrij dicht bij de Universiteitscampus in Ramna waar zijn vader Ashutosh Sen vroeger les gaf in scheikunde. Prof. Sen bracht tijdens zijn jeugd ook drie jaar door in Mandalay in Birma, waar zijn vader een gastprofessor was. Maar een groot deel van zijn vroege tijd werd doorgebracht in Dhaka en Santiniketan. Na Santiniketan studeerde hij aan het Presidency College in Calcutta en ook aan het Trinity College in Cambridge en interessant genoeg gaf hij les aan universiteiten in beide steden en ook aan de Delhi University, de London School of Economics, Oxford University en Harvard University en op bezoek bij MIT, Standford, Berkeley en Cornell en deze plaatsen hebben ongetwijfeld verschillende oriëntaties aan zijn leven toegevoegd, waardoor zijn leven een uitgelezen farrago van meerdere culturele oriëntaties is geworden.

Prof. Sen heeft sinds zijn kinderjaren een uniek talent voor verschillende vakken zoals wiskunde, natuurkunde, filosofie. En daarom blijkt hij, naast zijn uitgebreide geschriften over economie, zich bezig te houden met het schrijven van boeken met verschillende onderwerpen als onderwerp en zijn onder andere *The Argumentative Indian* (2005), *Identity and Violence* (2006), *The Idea of Justice* (2010) vermeldenswaardig genoeg. Amartya Sen's *The Argumentative Indian*, als product van bijna tien jaar inspanning (1995-2005) is, om de woorden van William Dalrymple uit zijn recensie van het boek te citeren, "het product van een grote geest op het hoogtepunt van zijn macht - een van de meest originele en stimulerende boeken over India die in vele jaren zijn geschreven" (Dalrymple 302). In dit boek geeft Prof. Sen, die ook een van de pioniers is van de 'sociale keuze' theorie, naar eigen keuze selectief commentaar op de Indiase cultuur en geschiedenis. *De Argumentative Indian* is in feite een compilatie van zestien essays over India die zijn ondergebracht in vier secties: Voice- en Heterodoxie, Cultuur en Communicatie, Politiek en Protest en Reden en Identiteit. Het eerste deel omvat het Indiase argumentatieve karakter in het bevorderen van heterodoxie of openheid en pluralisme, het tweede met Rabindranath Tagore en Satyajit Roy als coherente culturele polymaten en de relatie van India met andere samenlevingen, vooral met China, het derde met divergerende klassenverschillen in de Indiase samenleving en het laatste deel met de moderne Indiaanse seculiere cultuur en Indiase identiteit. Daarom bespreekt Prof. Sen door het hele boek heen talloze onderwerpen, in principe culturele, en in de loop van zijn bespreking vormen de Indiase heterodoxie en de argumentatie een rode draad, waardoor het boek een uniformiteit onder de veelvormigheid krijgt.

Volgens hetzelfde traject van Prof. Sen wil ik in de loop van dit proefschrift genieten van de voortreffelijke smaak van 'keuze'. En daarvoor zou ik mij selectief richten op de uitbundige nadruk die Prof. Sen legt op de culturele aspecten van India en op zijn inzet van culturele discussies die ik graag als trope zou zien, die, om J.A.Cuddon te citeren, " ... tijdens de Middeleeuwen ... werd toegepast op een verbale versterking van de liturgische tekst"(Cuddon 471). We zouden echter in grote lijnen trope zien als een terugkerend literair apparaat en zien hoe in *The Argumentative Indian* Prof. Sen cultuur wordt gepresenteerd als een trope voor de bewering van Indiase argumentatie en heterodoxie. Hoe dan ook, alvorens in te gaan op wat ik in deze scriptie zou bespreken, wil ik graag commentaar geven op bepaalde woorden die in de titel van deze scriptie worden gepresenteerd en dit zou, daar ben ik zeker van, helpen om mijn argumenten van deze scriptie te begrijpen.

In de titel van dit proefschrift komen we twee moeilijke woorden tegen: chutzpa en heterodoxie. Ten eerste definieert online Collins Dictionary de term 'chutzpa' dus: "Als je zegt dat iemand chutzpa heeft, bedoel je dat je bewondering hebt voor het feit dat ze niet bang zijn of zich schamen om dingen te durven zeggen die andere mensen schokken, verrassen of ergeren" (Collins). Uit deze definitie zien we het woord, chutzpa, oorspronkelijk een 'Jiddisch' woord, dat durf, goed of slecht betekent. Ik heb de term hier echter niet gebruikt in de negatieve zin van durf, maar in de positieve zin van durf of houding of overigens overmatig gebruik van zelfvertrouwen. Met het citeren van C. H. Spurgeon definieert de Wikipedia 'heterodoxie' dus: "Orthodoxie is mijn doxie; heterodoxie is de doxie van iemand anders" (Wikipedia). Ik heb de term echter niet gebruikt in de strikte zin van het uitdagen van de orthodoxie; ik zou het graag zien als een concept dat openheid biedt voor verschillende tegenstrijdige meningen. Ik zou daarom willen kijken naar de titel en naar de hele discussie die hier plaatsvindt met deze termen in de betekenis die ik heb genoemd.

Mijn scriptie bestaat, naast de inleiding en conclusie, uit vijf hoofdstukken die achtereenvolgens ingaan op de brede definitie en reikwijdte van het begrip 'cultuur', culturele openheid in de Indiase geschiedenis, Rabindranath Tagore en Satyajit Roy als culturele meesters, Indo-China relatie door cultuur en de huidige relevantie van Prof. Sen's nadruk op de Indiase traditie en cultuur. En gedurende de hele discussie zal deze thesis trachten te benadrukken hoe in het boek *The Argumentative Indian* Prof. Sen de uitbundige toevlucht tot traditie en cultuur fungeert als een troop in het doen gelden van Indiase argumentatie en heterodoxie.

Let op:

1.Dit hoofdstuk is gepubliceerd als onderdeel van het onderzoeksartikel 'Culturele Chutzpa: A Trope in Asserting Indian Heterodoxy and Argumentativeness in Amartya Sen's *The Argumentative Indian'* in International Journal of English Language, Literature in Humanities (Volume 7, Issue 1, januari 2019).

Aangehaalde werken

Collins. "Definitie van 'Chutzpa".

11 mei. 2018. https://www.collinsdictionary.com/dictionary/english/chutzpah

Cuddon, J.A. *Een Woordenboek van Literaire Termen en Literaire Theorie.* [5e] *editie,* Wiley -Blackwell, 2013.

Dalrymple, William. "De Argumentatieve Indiaan. Schriften over de Indische geschiedenis cultuur en identiteit". [10] april 2018. Project Muze.

< https://muse.jhu.edu/article/196167/pdf >

Wikipedia. "Heterodoxie". [10] mei 2018.

https://en.m.wikipedia.org/wiki/Heterodoxy

HOOFDSTUK - 1

CULTUUR: DEFINITIES EN TOEPASSINGSGEBIED

Het definiëren van cultuur, in alle opzichten en voor alle doeleinden, is een ondraaglijke taak, want de term met zijn lange geschiedenis van de evolutie draagt een overvloed aan betekenissen met zich mee en blijkt daarmee een epicentrum van subjectieve definities in de handen van de geleerden te zijn. En deze moeilijkheid wordt goed toegegeven in *A Dictionary of Literary Terms and Literary Theory* van J.A. Cuddon die, met een citaat van Raymond Williams, opmerkt: "Cultuur is een van de moeilijkste woorden om te definiëren" (Cuddon 79). In feite helpt Raymond Williams met zijn boek *Culture and Society,* met vijf trefwoorden - *industrie*, *democratie*, *klasse*, *kunst* en *cultuur* ons het gebruik van de term 'cultuur' te begrijpen, evenals de oorsprong van het onderscheid tussen 'hoge' en 'lage' cultuur. Ten eerste noemt Williams hoe de oorspronkelijke betekenis van 'cultuur' verbonden was met de verzorging van gewassen en dieren - zoals in de landbouw. Ten tijde van de Verlichting werd 'cultuur' echter gebruikt als synoniem voor het idee van 'beschaving'. De cultuur kwam dan ook een pad van vooruitgang en bloei te vertegenwoordigen, en werd typisch gebruikt in het enkelvoud. In de negentiende eeuw, in een beweging die Williams vooral associeert met Harder en de Duitse romantici, en met de opkomst van het nationalisme, werd 'cultuur' geassocieerd met verschillende en specifieke manieren van leven, met name die welke te zien waren in de verschillende naties van de wereld en in de verschillende regio's van die naties. Zo zouden 'culturen' comfortabel in het meervoud kunnen worden gebruikt. Bovendien werden in de tweede helft van de negentiende eeuw (Williams noemt hier specifiek de invloed van Mattheus Arnold's *Cultuur en Anarchie*) de pluriforme 'culturen' nu begrepen door in te breken in betere en slechtere soorten cultuur, zodat de term 'cultuur', echt waar, geassocieerd werd met de 'hoge kunsten' - Filosofie en de andere liberale kunsten, klassieke muziek en literatuur, schilderijen, beeldhouwkunst, enzovoort.

Aangezien de term, zoals hierboven vermeld, een ruime definitie biedt, zullen we dus zien hoe verschillende geleerden, uiteraard subjectief, proberen de definitie van cultuur te bekijken of te vormen. Het is Edward Said die in zijn boek *Cultuur en Imperialisme* cultuur vanuit twee perspectieven bekijkt. Ten eerste, zegt Said, "het betekent al die praktijken zoals de kunsten van beschrijving, communicatie en representatie ... waarvan een van de belangrijkste doelen het plezier is" (Said XII). Daarom zien wij in de woorden van Said de cultuur als een medium van esthetische beestachtigheid. Aan de andere kant legt dezelfde Said, vanuit het tweede perspectief, veel nadruk op de relatie van mensen met de cultuur die fungeert als, "het reservoir van elke samenleving van het beste dat bekend en gedacht is zoals Matthew Arnold het in de jaren 1860 verwoordde" (Said XIV). Volgens hem wordt de cultuur dus een opslagplaats voor het uitstralen van de eigen identiteit en wordt het daarmee een onderdeel van het leven. Deze nauwe relatie tussen de mensheid en de cultuur is ook vastgelegd in de woorden van Clifford Geertz, zoals opgemerkt in het boek *Literaire Kritiek van* Charles E. Bressler: *Een inleiding tot de theorie en de praktijk,* die gelooft dat er "geen menselijke natuur onafhankelijk van de cultuur" bestaat (Bressler 190).

Met bovenstaande discussie wordt de relatie tussen mens en cultuur goed begrepen. Hier kan echter de vraag rijzen met welke bestaande menselijke wezens er een verband is met de cultuur. Met andere woorden, biedt cultuur een gelijke ruimte voor ieder mens? En het onmiddellijke antwoord daarop is - nee. Zoals we allemaal weten, verschillen de culturen van natie tot natie; zelfs binnen de natie. Daarom draagt de cultuur het stempel van de hiërarchie, die in elk land heel gebruikelijk is. Met dit in het achterhoofd deelt Edward Shils, een gerenommeerd socioloog, de cultuur in drie categorieën in. Dit zijn, zoals geciteerd in Andrew Tudor's *Decoding Culture*, "superieure of verfijnde cultuur, middelmatige cultuur en brutale cultuur" (Tudor 24).

Veel denkers zoals F.R. Leavis, Edward Said, Max Horkheimer, Theodore Adorns, Herbert Marcuse, Walter Benjamin benadrukten vanuit hun politiek perspectief dat cultuur vaak op een hiërarchische en exclusieve manier is gedefinieerd.

Als we nu een andere vraag stellen - wat is de relatie tussen cultuur en literatuur, of trouwens de kunst? In het algemeen is de literatuur de spiegel van de maatschappij en kan ze dus niet volledig gespaard blijven van de invloeden van de maatschappij en haar verschillende instellingen of trouwens ook van de cultuur. In dit verband is de opmerking van Charles E. Bressler, hoewel hij commentaar geeft op het Nieuwe Historicisme, de moeite waard om in herinnering te brengen. Literatuur moet volgens Bressler "gelezen worden in relatie tot cultuur, geschiedenis, maatschappij en andere factoren die de betekenis van een tekst bepalen" (Bressler 184). In feite is de literatuur zo sterk beïnvloed door de cultuur dat er in de loop van de tijd (in de jaren vijftig en zestig) Culturele studies ontstaan, een nieuwe discipline die, om Patricia Waugh te citeren, "de rol van de literatuur in de samenleving op nieuwe manieren heeft getheoretiseerd en naar teksten heeft gekeken in relatie tot culturele instellingen, de cultuurgeschiedenis". . . . en praktijken" (Waugh 24). Het is inderdaad de cultuurwetenschap die de rol van de cultuur in de beïnvloeding van de literatuur heeft verhoogd en de cultuurwetenschap legt, temidden van haar multidisciplinaire karakter, echt veel nadruk op culturele kwesties. En daarom is het goed bekritiseerd in de handen van figuren als Harold Bloom, die in feite vragen stelt over de toekomst van de Culturele Studies. To Bloom Cultural Studies kan nooit in de plaats komen van de 'Departments of English'. Met een gevoel voor spot merkt hij in zijn baanbrekende creatie *The Western Canon* (1994) op, ". . . Batman-strip, Mormoonse pretparken, televisie, films en rock zullen Chaucer, Shakespeare, Milton, Wordsworth en Wallace Stevens nooit vervangen" (Bloom 591). De opvatting van Bloom over Culturele Studies is echter een beetje scheef, bekrompen en is een soort misverstand over het streven van Culturele Studies en daarom is hij ook bekritiseerd door figuren als Cary Nelson. Culturele studies, moeten we niet vergeten, verlaten niet wat van oudsher in literaire afdelingen wordt gestudeerd. Het roept eerder nieuwe manieren op om dergelijke teksten te bestuderen.

Doorheen de bovenstaande discussie hebben we de 'cultuur' met haar brede waaier geconfronteerd en met deze breedte in het achterhoofd zou ik in de daaropvolgende discussies proberen om me selectief te focussen op de manier waarop Prof. Sen in zijn *The Argumentative Indian* de uitbundigheid van tradities en culturen die met hun veelzijdigheid onberispelijk India versierd met heterodoxie of openheid en argumentatievermogen, dat de rest van de wereld, echt het Westen in het bijzonder, heel vaak over het hoofd probeert te zien, vanwege hun vooropgezette ideeën en vooroordelen.

Let op:

1.Dit hoofdstuk is gepubliceerd als onderdeel van het onderzoeksartikel 'Culturele Chutzpa: A Trope in Asserting Indian Heterodoxy and Argumentativeness in Amartya Sen's *The Argumentative Indian'* in International Journal of English Language, Literature in Humanities (Volume 7, Issue 1, januari 2019).

Aangehaalde werken

Bloom, Harold. *De Westerse kanunnik.* 1e uitgave, Harcourt Brace & Company, 1994.

Bressler, Charles. *Literaire kritiek: Een inleiding tot de theorie en de praktijk.* 5e editie, Pearson Longman, 2011.

Cuddon, J.A. *Een Woordenboek van Literaire Termen en Literaire Theorie. 5e editie,* Wiley -Blackwell, 2013.

Zei, Edward. *Cultuur en Imperialisme.* 1e druk, Vintage Book, 1994.

Tudor, Andrew. *Decoderingscultuur: Theorie en Methode in Culturele* Studies. 1e uitgave, Sage Publications, 1999.

Waugh, Patricia. *Literaire theorie en kritiek.* 1e uitgave, Oxford University Press, 2006.

HOOFDSTUK - 2

INDIA VERZADIGD MET CULTURELE HETERODOXIE

"Nergens is het een plaats van zulke lichtgevende glorie...

Dit is de koningin van alle landen op aarde" (D.L. Roy)

De geschiedenis van India is het fascinerende epos van een grote beschaving. Het is een geschiedenis van verbazingwekkende culturele continuïteit die zich steeds opnieuw heeft doen gelden. India is in feite een opslagplaats van diversiteit - diversiteit in religie, cultuur, gewoontes, voedingsgewoonten, standpunten, taal en deze diversiteit wordt ook gevoeld in de geografische ligging die zoveel variatie vertoont dat India door de historici vaak wordt geprezen als de 'belichaming van de wereld'. In feite, met betrekking tot India's geografische voorrecht wat A.L. Basham schrijft in *The Wonder That Was India* is het de moeite waard om er aan te herinneren: "India ... gezegend door een beestachtige natuur die weinig van de mens eiste in ruil voor voedsel" (Basham 5). En Prof. Sen in zijn *The Argumentative Indian* blijkt veel nadruk te leggen op India's vroegere traditie en cultuur en sleept daaruit elementen mee om India's argumentatieve karakter en heterodoxie of openheid op de voorgrond te plaatsen die tot op de dag van vandaag onder de praatgrage Indianen nog steeds bestaan. In feite hebben we het record, zoals vrij trots vermeld door Prof. Sen, van de langste toespraak ter wereld die door Krishna Menon in de Verenigde Naties werd gehouden en die onophoudelijk negen uur duurde. We hebben grote Sanskriet epieken de *Ramayana* en de *Mahabharata* en het is heel interessant om op te merken dat "de *Mahabharata* alleen al ongeveer zeven keer zo lang is als de *Ilias* en de *Odyssee* samen" (Sen 3).

Zoals reeds vermeld, probeert Sen de traditie van argumentatie in India's traditie en cultuur te benadrukken. Hij heeft het in dit verband uitsluitend over beroemde Indiase geschriften waar voorbeelden van goede argumentatie en heterodoxie of openheid in grote mate aanwezig zijn. Sen met het voorbeeld van *Bhagavad Gita*, een klein deel van de *Mahabharata*, presenteert twee tegengestelde argumenten. De ruzies vinden plaats tussen Krishna, de goddelijke incarnatie, en Arjuna, de ongeëvenaarde strijder van de Pandava's in de strijd van Kurukshetra. In eerste instantie, anticiperend op de verschrikkelijke gevolgen van het bloedvergieten, hoewel de oorzaak geldig was, wilde hij niet betrokken zijn bij de strijd en daarom begon hij ruzie te maken met Heer Krishna die, hem herinnerend aan zijn plicht, zei "En denk niet aan de vrucht van de actie /Fare forward" (Sen 4). Krishna's heiligschennende eisen van de plicht, als het wordt bekeken vanuit religieus perspectief, wint het argument als Arjuna's kant de strijd wint. Maar hier is het punt om op te merken dat een mens, of beter gezegd een Indiaan, Arjuna, sterke argumenten aanvoert tegen de goddelijke incarnatie en deze stoutmoedigheid is goed genoeg om het kaliber van de Indianen in de argumentatievorming aan te tonen.

Naast mannen richt Sen zich ook op vrouwen, die ook een grote rol hebben gespeeld in de argumentatie. Volgens Sen kwamen zelfs enkele van de meest besproken en gevierde dialogen van vrouwen, als we helemaal teruggaan naar het oude India. Hij neemt een voorbeeld uit *Brihadaranyaka Upanisad* waar we het beroemde ruziegevecht zien waarin Yajnavalka, een groot geleerde met smetteloze demagogische vaardigheden, vragen moest stellen en, het is heel interessant om te zien, de meest welsprekende en intellectuele vraag kwam van Gargi, een intellectueel en pedagoog, wiens manier van spreken voor de verzamelde Brahmanen, op geen enkele manier minder brutaal en moedig is dan de huidige feministen. Ze was zo zeker van de kwaliteit van haar vraag dat ze dacht dat het antwoord genoeg zou zijn voor de Brahmanen om Yajnavalka als een groot religieus figuur te beschouwen: "Eerwaarde

Brahmins, met uw toestemming zal ik hem slechts twee vragen stellen. Als hij in staat is om die vragen of de mijne te beantwoorden, dan kan niemand van jullie hem ooit verslaan door de aard van God uit te leggen" (Sen 7). Naast Gargi presenteert Sen figuren als Maitrye en Draupadi, wiens argumentatieve status hun dynamische rol in India's vroegere traditie en cultuur bewijst.

Prof. Sen presenteert verder de argumentatieve traditie die vaak de barrières van klasse en kaste overschrijdt. Sen legt vast hoe de Brahamaanse orthodoxie werd uitgedaagd door de woordvoerders van sociaal achtergestelde groepen. En in dit opzicht trekt de opkomst van het Jainisme en het Boeddhisme met hun proteststemmen een bijzondere aandacht. In feite was een substantieel deel van de boeddhistische literatuur tegen de Brahamaanse orthodoxie. En in de geschiedenis van de openbare redenering in India moet veel lof worden toegezwaaid aan de vroege Indiase boeddhisten die een grote inzet hadden voor de discussie als middel voor sociale vooruitgang en om die reden de nadruk legden op universele tolerantie. In dit verband hebben de zogenaamde "boeddhistische raden", die tot doel hadden geschillen tussen verschillende standpunten te beslechten, de delegaties van verschillende denkrichtingen aangetrokken. De rol van deze "raden" was zeer cruciaal en zij hielden zich, naast religieuze beginselen en praktijken, ook bezig met sociale en burgerplichten. En bovendien hielpen ze in het algemeen de traditie van open discussies te consolideren en te bevorderen en zo nodigde het boeddhisme ook de heterodoxie uit, oftewel vragen tegen de orthodoxie. Het was Gautam Boeddha die, volgens Sen, een bijzondere strategie vormde om zijn theoretische scepsis over goden te combineren met een praktische subversie van de betekenis van de vraag door de keuze van goed gedrag volledig onafhankelijk van God te maken - reëel of ingebeeld. Inderdaad, in India hebben verschillende vormen van goddeloosheid in de loop van de geschiedenis een zeer sterke aanhang gehad. Zelfs *Upanisad* en Boeddha's 'Lokayate' filosofie dragen deze bewijzen. En die onderstroom van het Indiase denken, zoals opgemerkt door D.N. Jha, vindt zijn latere uitdrukking ook in andere teksten.

Deze trend wordt ook weerspiegeld in de 'mystieke dichters' in de middeleeuwse periode die beïnvloed blijken te zijn door het egalitarisme van de Hindoestaanse Bhakti-beweging en het islamitisch soefisme en hun verregaande afwijzing van sociale barrières en de acceptatie van heterodoxie brengen het bereik van de argumenten over de divisies van kaste en klasse sterk naar voren. In dit verband moet worden vermeld dat veel van de dichters uit sociale en economische hoek afkomstig waren. Zo was Kabir, de grootste van allemaal, een wever, Dadu, een katoenen karder, Ravi-das, een schoenmaker, Sena, een kapper en enkele andere toonaangevende dichters van deze beweging waren vrouwen als Mira Bai, Andal, Daya Bai, Keshma, om er maar een paar te noemen. Zij stelden de bestaande sociale barrières die in naam van religieuze teksten worden opgeworpen, ter discussie. Wat D.N. Jha in zijn *Contesting Symbols and Stereotypes* opneemt, is in dit opzicht de moeite waard: "De mahanubhavas van Maharashtra en de sahajiya's in Bengalen hebben ook afstand gedaan van de *Veda's*. Zo ook individuele middeleeuwse bhakti heiligen zoals Kabir (vijftien eeuw) en Tukaram (zeventiende eeuw) om er maar twee te noemen" (Jha 35).

Religieuze of culturele heterodoxie of wat dat betreft de acceptatie en tolerantie voor andere culturen in de geschiedenis van het oude India blijkt te worden bevorderd onder het beschermheerschap van koninklijke figuren. En in dit verband presenteert Prof. Sen twee Koninklijke figuren van India die in de geschiedenis van India het meest worden bewonderd. De eerste is koning Ashoka, die zelf in het boeddhisme geloofde en een centrale rol speelde bij het organiseren van de derde 'Boeddhistische Raad', omdat hij zich ervoor inzette dat de publieke discussie zonder animositeit en geweld kon plaatsvinden. Bovendien eiste hij terughoudendheid met betrekking tot het spreken, zodat de eigen sekte niet wordt opgehemeld of andere sekten in diskrediet worden gebracht, en zelfs bij goede gelegenheden gematigd wordt gehandeld. Zo is Ashoka's Teaching, om te citeren uit R.S. Sharma's *Ancient India*, "bedoeld om de bestaande sociale orde te handhaven op basis van tolerantie" (Sharma 91).

De tweede bekende figuur is Akbar (zestiende eeuw) die niet alleen een ondubbelzinnige verklaring aflegde over de prioriteit van tolerantie, maar ook de basis legde voor een seculiere juridische structuur die onder meer inhield dat niemand zich mocht bemoeien met de godsdienst. In feite combineerde hij een politiek van religieuze tolerantie met een cultus van de heerser die gericht was op het institutionaliseren van het Mughal-charisma. Zijn ideaal was dat van de rechtvaardige heerser waarvoor hij parallellen vond in het moslimconcept van imam 'Mahdi', evenals in het hindoeïstische idee van de legendarische koning Rama. En zijn nieuwe religie, 'Din-i-Ilahi' (Geloof - in-God), was gebaseerd op een mooie samensmelting van goede punten gekozen uit verschillende geloofsovertuigingen. En Akbar regelde, net als 'boeddhistische concilies', aan het eind van de zestiende eeuw publieke dialogen waarbij leden van verschillende geloofsovertuigingen betrokken waren. En er wordt gezegd dat het huidige secularisme in India een enorme impuls heeft gekregen door het pleidooi van Akbar voor pluralistische idealen. Wat Hermann Kulke en Dietmar Routhermund in dit verband zeggen in hun *A History of India* is het vermelden waard: "Zelfs eeuwen later werpen sommige reflecties van de charismatische pracht van Akbar nog steeds een aureool op zijn nederigste nakomelingen" (Kulke en Rothermund 190).

Indiaanse culturen zijn in de ogen van de buitenlanders vanuit verschillende perspectieven bekeken en deze perspectieven zijn in *The Argumentative Indian* gecategoriseerd in drie benaderingswijzen: 'excoticistisch', 'magistraal' en 'curatorieel'. De eerste benadering richt zich op de wonderlijke aspecten van India, op het vreemde India dat, zoals Hegel het uitdrukt, "in de verbeelding van de Europeanen al millennia bestaat" (Sen 141). Onder de excoticaboeken Megasthenes' *Indika* die India in het begin van de derde eeuw v.Chr. beschrijven en Flavour Philostratus' *The Biography of Tyana die* India veel *lof toezwaait*, zijn noemenswaardig. De magistrale aanpak zag India echter als primitief en onbeleefd en dit komt goed tot uiting in James Mill's *The History of India (1817)* en Katherine Mayo's *Mother India* (1927). De derde, de curatoriële benadering, omvat verschillende pogingen om uiteenlopende aspecten van de Indiase cultuur op te merken, te classificeren en te demonstreren. Alberuni's *Tarikh al-achter* (begin elfde eeuw) is een mooi voorbeeld van een curatoriale benadering van het begrip van het elfde-eeuwse India.

Prof. Sen heeft het ook over Indiase kalenders die de Indiase cultuur in belangrijke mate vertegenwoordigen. In feite biedt India een uitstekende variëteit aan calendrische systemen met respectievelijke geschiedenissen die zich uitstrekken over enkele duizenden jaren. Het officiële Comité van de Kalenderhervorming, zoals Prof. Sen opmerkt, benoemd in 1952 en geleid door Meghnath Saha, een gerenommeerde Indiase wetenschapper, identificeerde meer dan dertig goed ontwikkelde kalenders in systematisch gebruik in het land. Deze verschillende kalenders met betrekking tot de diverse maar onderling samenhangende geschiedenissen van de religies, tradities, plaatsen en gemeenschappen komen naar voren, als ware het een argument voor culturele openheid.

Let op:

1.Dit hoofdstuk is gepubliceerd als onderdeel van het onderzoeksartikel 'Culturele Chutzpa: A Trope in Asserting Indian Heterodoxy and Argumentativeness in Amartya Sen's *The Argumentative Indian'* in International Journal of English Language, Literature in Humanities (Volume 7, Issue 1, januari 2019).

Aangehaalde werken

Basham, A.L. *The Wonder That Was India.* 1e ed., The Macmillan Co,1959.

Jha, D.N. *Symbolen en Stereotypen aan het betwisten.* 1e uitgave, Aakar Books, 2013.

Kulke, Hermann, en Dietmar Rothermund. *Een geschiedenis van India.* 3de editie, Routledge, 1998.

Roy. D L."Dhono Dhanna Pushepe Bhora." 13 mei 2018.

https://www.linkedin.com/pulse/dhono-dhanne-pushpe-bhora-english-translationby-sri-roy-lahiri

Sen, Amartya. *De Argumentatieve Indiaan.* Pinguïnboeken, 2005.

Sharma, R.S. *The Ancient India.* 2de editie, NCERT,1980.

HOOFDSTUK - 3

INDIA EN PORSELEIN IN DE BOEIEN VAN DE CULTUUR

De overdracht van de Indische cultuur naar het verre deel van Centraal-Azië, Zuidoost-Azië, Japan en vooral China is een van de grootste verworvenheden van de Indische geschiedenis of zelfs van de geschiedenis van de mensheid. Geen van de andere grote beschavingen - zelfs de Helleense niet - was in staat geweest om een soortgelijk succes te behalen zonder militaire verovering. En gedurende de hele uitzending werden ze, met name China, goed beïnvloed door de Indiase cultuur. Wat A.L. Basham zegt in zijn *The Wonder That Was India* is in dit opzicht de moeite waard: "India en China hebben in feite de oudste ononderbroken tradities ter wereld" (Basham 4). En in zijn boek *The Argumentative Indian* legt Prof. Sen deze inter- nationale relatie tussen China en India prachtig vast vanuit meerdere perspectieven zoals religie, handel, wiskunde, wetenschap, taal en literatuur die samen in één categorie, cultuur, kunnen worden ondergebracht. In dit hoofdstuk wil ik eerst ingaan op de presentatie van deze niet-religieuze aspecten van de cultuur door Prof. Sen en tenslotte op de presentatie van het boeddhisme en de impact ervan op de Indo-Chinese relatie.

Naast de op het boeddhisme gerichte culturele uitwisseling is er een ander sterk medium van Indo-China Relatie-Handel - dat tot op zekere hoogte kan worden gezien als een onderdeel van de cultuur. En Prof. Sen merkt op hoe Indiase handelaren zich meer dan tweeduizend jaar geleden bezighielden met het importeren van goederen uit China om deze te exporteren naar Centraal-Azië. Een vroege Han-afgezant van Bactriana in de tweede eeuw v. Chr., Zhang Qian, raakte volledig verrast toen hij

Chinese producten zoals katoen- en bamboeproducten op de Indiase lokale markten zag en zijn verbazing kreeg een extra dimensie toen hij vernam dat ze, na een lange reis, door de Indiase karavaan door Afghanistan en India daarheen waren gebracht. Daarnaast werd ook de overzeese handel in grote mate gestimuleerd en deze is dan ook door Romila Thapar in haar *Vroeg-India* gezet: "De maritieme handel met China heeft in deze eeuwen een ongekend volume bereikt" (Thapar 382). De handelstrends zijn steeds verder doorgetrokken en er zijn nieuwe producten ontstaan die in de lijst zijn opgenomen. En zo wordt zijde, een kostbaar product, dat in Kautilya's *Arthasastra* prachtig is geprezen en besproken, geleidelijk aan vervangen door porselein als leidend product. Daarnaast zijn er in de literatuur van het Sanskriet, zoals Prof. Sen opmerkt, tal van verwijzingen naar Chinese zaken als 'kamfer' 'venkel', 'vermiljoen', hoogwaardig 'leer', 'perzikkleurig', 'peer'. Zo heeft China ongetwijfeld India verrijkt, tot op zekere hoogte, door deze goederen te leveren die de Indiase commerciële status bevorderden. Nu, hier zou een vraag kunnen zijn die door middel van de handelscultuur Indiaanse argumentatie en heterodoxie of openheid zou kunnen worden onthuld. Hier zou ik willen zeggen, hoewel het een algemeen soort argument is, dat tijdens de aankoop door middel van onderhandelingen de Indiase spraakzaamheid op de een of andere manier naar voren kwam. Bovendien getuigt de belangstelling van Indiase handelaren voor Chinese producten, zij het hoofdzakelijk voor zakelijke doeleinden, tot op zekere hoogte van de traditie van de Indiase heterodoxie of, wat dat betreft, van de openheid. Er kan dus niet worden gezegd dat de Indo-China-handel alleen maar voor zakelijke doeleinden was, maar het draagt ook een culturele weerklank met zich mee. Hier kan ook worden vermeld dat de handel met India en China de laatste tijd een enorme impuls heeft gekregen. Anil K Gupta en Haiyan Wang schreven in een artikel in *China Business Review*: "Sinds 2000 is de handel tussen China en India bijna twee keer zo snel gegroeid als de handel van elk land met de rest van de wereld, en sinds 2001 is de handel van China met India sneller gegroeid dan de handel met een van zijn top 10 partners".

Wat betreft de bredere gebieden van de cultuur, spreekt Prof. Sen over de relatie tussen India en China. Het is China dat enkele van de mooiste boeddhistische monumenten, tempels, kloosters, boeddhistische beeldhouwwerken en schilderijen ter wereld heeft voortgebracht. Hoewel er een neiging zou kunnen zijn om deze creaties te zien als slechts een religieuze prestatie, zou men zeer lomp moeten zijn om deze werken zo te zien die, om uit Ruskin's *A Joy for Ever te* citeren, "deel uitmaken van de echte rijkdom van het land" (Ruskin 2). Zo heeft India het land China verrijkt waar deze kunstwerken en cultuur als een soort heimelijke stem van India's culturele uitbundigheid jaar in jaar uit spreken. Naast deze materiële constructies en beeldende kunst neemt ook de muziek een belangrijke plaats in bij het bevorderen van de culturele liberalisering. Samen met de boeddhistische gezangen is de Indiase muziek in verschillende vormen (zoals de Tianzhu-muziek) in de Tang-periode in het domein van China terechtgekomen en de interacties gingen door de eeuwen heen door. Keizer Chengzu of trouwens Yongluo keizer, zoals Prof. Sen vermeldt, van de Ming-dynastie wordt geacht in 1404 'Liederen van Boeddha' te hebben gecompileerd en bewerkt die in China populair genoeg waren vanaf de Tang-Yuan-dynastieën (van 618 tot 1368) en de verschillende versies ervan zijn, heel interessant, nog steeds te vinden in China en andere Zuidoost-Aziatische landen zoals Birma en Vietnam.

Indo- China connecties in de publieke gezondheidszorg (we zouden het ook als onderdeel van de cultuur kunnen zien) zijn in deze discussie waardig genoeg om genoemd te worden en over dit onderwerp spreekt Prof. Sen in ruime mate. Ten eerste heeft hij het over Fexian die, hoewel in principe voor religieuze doeleinden, in 401 CE in India aankwam, grote belangstelling had voor het hedendaagse gezondheidszorgsysteem in India. Hij was vooral gefascineerd door de burgerlijke voorzieningen voor medische zorg in de vijfde eeuw Pataliputra (het huidige Bihar) en zijn fascinatie is goed vastgelegd door Prof. Sen die hem zo citeert:

> Alle armen en behoeftigen in het land . . . en allen die ziek zijn, gaan naar die huizen, en worden voorzien van alle soorten hulp, en artsen onderzoeken hun ziekte. Zij krijgen het voedsel en de medicijnen die hun gevallen nodig hebben

en worden op hun gemak gesteld; en als ze beter zijn, gaan ze van zichzelf weg (Sen 184).

Prof. Sen presenteert een andere figuur Yi Jing die zeer minutieus het Indiase gezondheidszorgsysteem observeerde en in zijn boek over India een goede vergelijking maakte tussen het Indiase en Chinese gezondheidszorgsysteem. Volgens hem zit China in de genezende kunsten van de acupunctuur en de cauterie altijd in de bestuurdersstoel, terwijl het Indiase gezondheidsgedrag als voedselgewoonte, het gebruik van fijne witte doeken voor het sproeien van water, de Chinezen veel zou kunnen leren. En terugkomend op China vergat Yi Jing niet te bespreken wat China zou kunnen leren van India op het gebied van de gezondheidszorg.

Nu we naar de belangrijkste arena gaan, zien we dat boeddhistische monniken, in alle opzichten, van cruciaal belang zijn voor de export van religie of, wat dat betreft, van een religieus georiënteerde cultuur naar China. En dankzij twee karakteristieke kenmerken konden ze een specifieke impact hebben op China of trouwens ook op Centraal-Azië. Ten eerste waren de boeddhisten doordrongen van een sterke missionaire ijver; en ten tweede negeerden ze het kwade kastensysteem van het hindoeïsme en legden ze geen nadruk op het idee van zuiverheid. Zowel door zijn leer als door de organisatie van zijn kloosterorde (sangha) had Gautam Boeddha aanleiding gegeven tot deze missionaire ijver, die vervolgens werd gekoesterd door de zending van boeddhistische missionarissen van koning Ashoka naar West-Azië, China, Sri Lanka en Birma.In feite dateert de eerste vermelding van de aankomst van Indiase monniken, zoals vastgelegd door Prof. Sen, uit de eerste eeuw na Christus, toen Dharmaraksha en Kasyapa Matanga op uitnodiging van keizer Ming in China aankwamen. De keizer had, zoals de legende luidt, Gautam Boeddha in een droom gezien en daarom vormde hij een zoekteam om boeddhistische monniken uit India mee te nemen. Vanaf dat moment hielden Indiase geleerden de stroom naar China in stand tot de elfde eeuw en produceerden ze daar Chinese versies van duizenden Sanskrietteksten en -documenten. En het is de vrijheid van het boeddhisme van allerlei rituele beperkingen en de geest van de eenheid van alle aanhangers stelde hen in staat om gemakkelijk het hart van het Chinese volk te veroveren. Aan de andere kant zijn de Chinezen op uitnodiging van de Indianen ook begonnen met het bezoeken van heilige plaatsen van het boeddhisme. In dit verband is het vermeldenswaardig dat Chinese bronnen 162 bezoeken van Chinese boeddhistische monniken aan India registreerden voor de periode van de vijfde eeuw tot de achtste eeuw. Het is interessant om op te merken dat een dergelijk internationaal uitwisselingsprogramma voor geleerden voor die dag en India "het enige land in de buitenwereld was waar geleerden uit het oude China naartoe gingen voor onderwijs en opleiding" (Sen 189).

In de vroege eeuwen was het centrum van de boeddhistische studiebeurs de Universiteit van Taxila (nabij het huidige Islamabad), maar in de vijfde eeuw werd de Universiteit van Nalanda opgericht, nabij Pataliputra, het centrum van de boeddhistische studiebeurs verschoof naar Oost-India. Deze universiteit was getuige van een groot aantal studenten uit China. En onder hen benadrukt Prof. Sen de meest opmerkelijke drie -Yi Jing, Fexian en Xuanzang. Yi Jing die aan Nalanda studeerde en zijn verslag schreef over de boeddhistische filosofie en praktijk, het Indiase gezondheidszorgsysteem en de geneeskunde. In dit verband is het vermeldenswaard dat Prof. Sen sinds zijn jeugd een bijzondere fascinatie heeft voor Nalanda University. In een interview in Ananda Bazar Patrika, een vooraanstaande Bengaalse krant, herinnert Sen zich zijn jeugdbezoek aan de site van Nalanda met zijn grootvader Kshitimohan Sen : "Op die leeftijd (11 jaar) bleef ik naar de relikwieën van Nalanda kijken en nadenken over de restauratie ervan" (mijn eigen vertaling uit het Bengaals, Ananda Bazar). En het is interessant om op te merken dat na vijftienhonderd jaar van vernietiging toen Nalanda werd heropend, Prof. Sen de voorzitter werd van de mentorgroep van de Universiteit. Naast Yi Jing heeft Sen het ook over Fexian, waarschijnlijk de eerste Chinese geleerde die in 401 CE naar India kwam om talen, literatuur, religieuze teksten, gezondheidszorg te bestuderen en na tien actieve jaren keerde hij terug naar huis. Een andere bekende figuur is Xuanzang, die in de elfde eeuw kwam en zestien jaar lang medicijnen, filosofie, logica, wiskunde, astronomie, boeddhisme enzovoort studeerde.

Na de lange discussie kan men zich afvragen hoe India erin geslaagd is zijn argumentatievermogen en heterodoxie of openheid, vooral door middel van cultuur (natuurlijk in de breedste zin van het woord), in China te laten doordringen. Het boeddhisme heeft echt een grote bijdrage geleverd aan de Chinezen om met verlichting en begrip naar de rest van de wereld te kijken. In de religieuze geschiedenis van India blijkt het boeddhisme zich bezig te houden met heterodoxie en onder de oude religies is het boeddhisme dat het regelen van 'boeddhistische concilies' het beargumenteerde karakter van het boeddhisme vierde en het heeft deze kenmerken met succes in de Chinese, boeddhistische, in het bijzonder. En dit argumentatieve karakter en concept van heterodoxie of openheid is goed terug te vinden in de mond van Mouzi. In de loop van de negentiende eeuw stelden Chinese anti-boeddhistische groepen zoals Doist de vraag, zoals de Sen opmerkten: "Waarom zou een Chinees zich laten beïnvloeden door Indiaanse manieren" (Sen 171). Mouzi, een krachtige verdediger van het boeddhisme met een goede Chinees, stelde in zijn antwoord de vraag in zijn strijdlustige *Lihao Lun* (Disposing Error): "Of de Chinezen moeten beweren dat ze uniek zijn in de wereld"(Sen 171) en ook "een sterke claim ten gunste van het boeddhistische universalisme hebben geuit"(Sen 171). Deze geest begon echter met het verstrijken van de tijd in China af te nemen en de reden daarvoor is misschien gewoon het feit dat China, in tegenstelling tot India, een gebrek aan democratie heeft. In dit verband kan worden vermeld dat eind 1999 een "wetgeving werd aangenomen voor het verbieden van heterodoxe religie" (Wikipedia).

Noot:

1. Dit hoofdstuk is als onderzoeksartikel gepubliceerd in het International Journal of English Language, Literature in Humanities (Volume 6, Issue 7, July 2018).

Aangehaalde werken

Basham, A.L. *The Wonder That Was India.* [1e] ed., The Macmillan Co,1959.

Gupta, K. Anil en Haiyan Wang. "China en India Grotere Economische Integratie." [1] september 2009. China Business Review. https://www.chinabusinessreview.com/china-and-india-greater-economic-integration/

Ruskin, John. *Een vreugde voor altijd.* DODO PRESS, 1904.

Sen, Amartya. *De Argumentatieve Indiaan.* Pinguïnboeken, 2005.

Thapar, Romila. *Vroeg India.* Pinguïn, 2002.

Wikipedia. "Heterodoxie. [10] mei 2018.

https://en.m.wikipedia.org/wiki/Heterodoxy

HOOFDSTUK - 4

RABINDRANATH EN SATYAJIT: CULTURELE MEESTERS

In de loop van een uitgebreide discussie over de Indiase argumentatieve traditie en openheid van geest spreekt Prof. Sen's exclusieve tentoonstelling van twee gerenommeerde literair-culturele figuren, Rabindranath Tagore en Satyajit Roy, van cruciale betekenis. En in dit specifieke hoofdstuk wil ik me richten op de manier waarop Prof. Sen door de culturele oriëntaties van deze twee figuren de argumentatie en heterodoxie van India probeert te laten zien. Hoe dan ook, ik zou graag beginnen met Rabindranath Tagore en dan zou ik Satyajit Roy bespreken.

Visva Kobi' Rabindranath Tagore, is een gigantische figuur in de millenium oude Bengaalse literatuur, een opmerkelijk deel van India dat een belangrijke plaats inneemt in de kwestie van het cultureel erfgoed. In *The Argumentative Indian* presenteert Prof. Sen Rabindranath niet in de eerste plaats als een literaire figuur; aan de andere kant richt hij zich op Rabindranath's opvattingen over de Indiase manier van leven en haar cultuur. In feite kwam Rabindranath uit een opmerkelijke Bengaalse hindoeïstische familie en daarom ziet Anna Akhmatova hem misschien, een van Tagore's latere bewonderaars, als iemand die zijn kracht ontleent aan het hindoeïsme. Dit advies lijkt echter echt scheef en bekrompen. En dit komt omdat Rabindranath zelf zijn familie, zoals opgemerkt door Sen, beschreef als het product van "een samenvloeiing van drie culturen - Hindoeïstische, Mohammedaanse en Britse" (Sen 90). Sen merkt verder op dat de grootvader van Rabindranath, Dwarkanath, de Arabische en Perzische taal zeer goed beheerst. Rabindranath groeide op in een familiecultuur waar kennis van het Sanskriet en oude hindoeïstische teksten werden samengevoegd met een begrip van de islamitische tradities en de Perzische literatuur. Rabindranath was echt een niet-sektariër; zijn werken - "zo'n tweehonderd boeken - tonen de invloed van verschillende delen van de Indiase culturele achtergrond en die van de rest van de wereld" (Sen 90). Rabindranath was inderdaad erg trots op de grootsheid van zijn moederland dat de traditie draagt om eeuwenlang mensen uit de rest van de wereld te accepteren. In feite was hij diep geïnteresseerd in verschillende culturele waarden. En dit komt goed tot uiting in zijn oprichting van een typische onderwijsinstelling, 'Visva -Bharati', die naast een instelling voor kwaliteitsonderwijs een groot cultureel centrum is. Volgens Amartya Sen, die zelf student was aan Visva -Bharati, was er "iets opmerkelijks aan het gemak waarmee de klassendiscussie zich kon verplaatsen van de Indiase traditionele literatuur naar het hedendaagse en klassieke westerse denken, en vervolgens naar de cultuur van China of Japan of elders" (Sen 115). Rabindranath hield altijd vast aan de opvatting dat het omarmen van verschillende culturen op constructieve wijze moet gebeuren:

> Wat we in menselijke producten begrijpen en genieten, wordt direct van ons, waar ze ook vandaan komen. Ik ben trots op mijn menselijkheid als ik de dichters en kunstenaars van andere landen als mijn eigen land kan erkennen. Laat me met ongelegeerd genoegen voelen dat alle grote glorie van de mens de mijne is. Daarom doet het me diep pijn als de kreet van afwijzing in mijn land luidkeels tegen het Westen klinkt met het geraas dat het Westerse onderwijs ons alleen maar kan verwonden. (Sen 119).

Echt waar, Rabindranath was niet zoals Gandhi, hoewel hij hem veel respecteerde en hem de titel 'Mahatma' gaf. Omdat Rabindranath voor culturele kwesties vrij liberaal en openhartig was. Noch hij, zoals Gandhi, moedigde de mensen aan om zich alleen maar bezig te houden met de inheemse cultuur of levensstijl, noch bekritiseerde hij het Westen sarcastisch zoals Gandhi dat deed. In dit verband is het de moeite waard om te onthouden dat toen Gandhi in Engeland werd gevraagd naar zijn opvattingen over de westerse beschaving, hij meteen sarcastisch antwoordde: "Het zou een goed idee zijn" (Sen 107).

In feite was Rabindranath erg enthousiast om de integriteit en universele broederschap te bevorderen door middel van talloze culturele activiteiten onder de Indianen, ongeacht hun klasse, kaste of geloofsovertuiging. In dit verband is het de moeite waard om eraan te herinneren dat in de tijd dat de Britten Bengalen wilden verdelen, het Tagore was die 'Rakhi Bandhan Utsav' introduceerde, waarin mensen met een andere religieuze achtergrond en cultuur een soort van draad op elkaars hand zouden leggen als een teken van liefde en broederschap. Interessant genoeg wordt deze gelegenheid vandaag de dag nog steeds gevierd, zowel in India als in Bangladesh. In dit opzicht verdient Bangladesh een bijzondere vermelding. Het is een land waar de meeste mensen moslims zijn. Toch is het volkslied van Bangladesh een lied van Tagore. En dit feit, zonder twijfel, bewijst Tagore's populariteit en zijn acceptatie door zowel de Hindoestanen als de Moslims.

In *The Argumentative Indian* Prof. Sen's is Satyajit Roy, de eerste Indiase filmmaker die de Academy Award kreeg in 1992. Hij is geboren in een intellectueel en cultureel verrijkte familie in Calcutta. Hij had inderdaad een grote erfenis van cultureel intellectualisme, want zijn grootvader Upendra Kishor Roy was een vooraanstaand schrijver, schilder, violist en componist. Verder was zijn vader Sukumar Roy een zeer populaire dichter die vroeger gedichten schreef, verhalen in 'Sandesh', een kindertijdschrift dat door zijn vader Upendra was begonnen. Satyajit verloor zijn vader toen hij nog maar drie jaar oud was. Hij werd echter voldoende aangemoedigd door zijn moeder en de mensen ontwikkelden geleidelijk aan een uitgelezen belangstelling voor verschillende zaken die in principe met culturele activiteiten te maken hebben. Toen hij een schooljongen was, werd hij een fervent filmfanaat. Hij las vroeger filmtrivia's in tijdschriften als *Picturegoer* en *Photoplay*. Daarnaast waren Westerse klassieke muziek, kalligrafie en schilderkunst zijn favoriet. Terwijl hij na B.A. zijn studie verliet om een commercieel kunstenaar te worden, stond zijn moeder Suprabha Roy erop om aan Tagore's Visva-Bharati in Santiniketan te gaan studeren.

Aanvankelijk wilde Satyajit Calcutta niet verlaten, maar hij moest toegeven aan de overtuiging en het respect van zijn moeder voor Rabindranath. En hij kwam uiteindelijk bij Santiniketan in het jaar 1940. Satyajit's toetreding tot Santiniketan was werkelijk zeer waardevol voor zijn leven en hij prees het, zoals Sen het citeerde, in zijn woorden over Santiniketan:

> Ik beschouw de drie jaar die ik in Santiniketan heb doorgebracht als de meest vruchtbare van mijn leven. . . Santiniketan opende voor het eerst mijn ogen voor de pracht en praal van India en het Verre Oosten. Tot dan toe was ik volledig onder de invloed van de westerse kunst, muziek en literatuur. Santiniketan maakte me het gecombineerde product van Oost en West dat ik ben (Sen 115).

Deze bovenstaande woorden bewijzen dat Satyajit zeer gefascineerd was door de westerse kunst. En het moet ook worden opgemerkt dat hij, voordat hij naar Santiniketan kwam, een groot gebrek aan kennis had in de oosterse of juist de Indiase cultuur. En het is de Santiniketan van Rabindranath die deze ontbrekende ijver voor hem heeft opgenomen en deze ijver of die overigens tot het einde van zijn leven heeft voortgeduurd. Bovendien werd Rabindranath's liberale houding ten opzichte van diverse culturele oriëntaties goed in hem verwerkt. In dit opzicht is het interessant om op te merken dat toen Satyajit een student was bij Visva-Bharati Amartya, hoewel hij toen een tienjarige junior was, hij daar zelf een student was en hij een grote nieuwsgierigheid en respect had voor Satyajit. In feite, in een interview met Shankarlal Bhattacharjee in Ananda Bazar Patrika, een vooraanstaande Bengaalse dag, met grote nederigheid en beleefdheid herinnert Amartya Sen zich: "Toen kende ik hem vooral als Sukumar Roy's zoon, die grote Sukumar Roy. Van hier en daar luisterde ik naar het talent van deze jongen" (door mij vertaald), (Bhattacharya XXCE 1). Het is dan ook niet meer dan normaal dat hij in *The Argumentative Indian* speciaal gericht zou zijn op Satyajit Roy of wat dat betreft zijn werken.

In het zesde essay 'Our Culture, Their Culture' spreekt Amartya Sen uitsluitend over Satyajit Roy en zijn films en geschriften en brengt Sen in zijn discussie drie algemene thema's naar voren die alle culturen en hun onderlinge verbanden met elkaar gemeen hebben. Volgens Sen zijn zij - het belang van het onderscheid tussen verschillende lokale culturen en hun respectievelijke individualiteiten, de noodzaak om het diep heterogene karakter van elke lokale cultuur te begrijpen en de grote behoefte aan interculturele communicatie, terwijl zij de moeilijkheden van een dergelijk verkeer erkennen. Maar hoewel Satyajit zich richtte op de lokale cultuur, vond hij tegelijkertijd geen reden om de poort gesloten te houden voor de buitenwereld. Hij was eerder, zoals opgemerkt door Sen, "altijd bereid om te genieten en te leren van ideeën, kunstvormen en levensstijlen van overal in India of in het buitenland" (Sen 121).

Sen bespreekt daarom de positie van Satyajit Roy in zijn *Our Film Their Film* waarin Satyajit opmerkt dat allerlei inheemse factoren zoals gedrag, spraakgewoonten, vroegere tradities en dergelijke films vormen. Verder bespreekt hij hoe Satyajit door zijn films, ondanks vele barrières, prachtig heeft gezegevierd in het rechtvaardigen van de waarschijnlijke mogelijkheid van communicatie en begrip over de culturele grenzen heen. En Satyajit zelf zei in 1958, twee jaar nadat de *Pather Panchali* de speciale prijs kreeg, dat er geen reden is waarom we de nieuwsgierigheid van de buitenlander naar de Oriënt niet zouden verzilveren. En Satyajit is daarbij behoorlijk succesvol en het wordt bewezen door een groot aantal Satyajit's

fans die volgens Sen laten zien dat als er een bereidheid is om over de grenzen van de eigen cultuur heen te gaan, wat er dan mogelijk is.

Tot nu toe gaat het om de haalbaarheid van Indiase films in het buitenland zoals het Midden-Oosten, Afrika en Europa. Sen noemt enkele van Satyajit's hedendaagse Indiase filmmakers zoals Ritwik Ghatak, Mrinal Sen en laatstgenoemde filmmakers zoals Aparna Sen en Meera Nair. Maar tegelijkertijd presenteert Sen ook Satyajit's uniciteit en daarmee zijn verschil met de anderen. Sen spreekt in dit verband vooral over Meera Nair's films *Salaam Bombay*, *Mississippi Masala* en Roland Joffé's *The City of Joy*, waar de grafische presentatie van extreme ellende en harteloosheid van anderen naar de achterblijvers toe te zien is. En voor deze problemen daar zien we dat schurken worden voorgesteld als de enige verantwoordelijke.

Aan de andere kant laat Satyajit zien dat er in zijn films, hoewel hij met verschillende problemen te maken heeft, duidelijk geen lichaam voor het kwaad bestaat. Zo heeft Satyajit zijn film *Mahanagari* (The Great City) in Calcutta gedraaid met veel bedreigde gebeurtenissen tussen vreugdevolle momenten die leiden tot een diepe tragedie, maar zonder schurken aan wie de verantwoordelijkheid onmiddellijk zou kunnen worden opgelegd. Sen geeft er mooie uitleg over. Volgens Sen zou een resultaat van deze afwezigheid van schurken kunnen zijn dat Satyajit er op de een of andere manier in slaagt om iets te corrigeren van de maatschappelijke situaties die leiden tot dergelijke tragedies, in plaats van het verlangen naar snelle verklaringen n de hebzucht, cupiditeit en wreedheid van sommige slechte mensen. En dit bewijst Satyajit's grote begrip van India's diversiteit of heterodoxie en zijn presentatie in films draagt een identiteit van Indiaasheid met zich mee.

Prof. Sen presenteert hoe Satyajit Roy de nadruk legt op het behoud van de echte culturele kenmerken van de samenleving die hij in zijn films portretteert en hoe zijn visie op India en Bengalen verzadigd is met heterodoxie of openheid op eender welk niveau. De inheemse cultuur die door Satyajit wordt benadrukt is tegelijkertijd traditiegebonden en heterogeen in India. Deze erkenning van heterogeniteit maakt volgens Sen de positie van Satyajit dan ook duidelijk en hij blijkt een wijsheid van 'kritische openheid' te hebben geschonken, inclusief het waarderen van een dynamische, aanpasbare wereld. De erkenning en nadruk op de cultuur van Satyajit Roy's mensen in zijn eigen film bewijzen zijn interesse in ideeën en praktijken.

die ergens anders vandaan komen: "Onze cultuur kan zowel putten uit hun cultuur als uit hun cultuur kan putten uit ons" (Sen 129). Satyajit's heterodoxie of openheid is echter niet nieuw; het is eerder een Indiase traditie. Om dit punt duidelijk te maken, geeft Sen, het voorbeeld van zaken van het dagelijks leven. Het feit dat chili, het basisingrediënt van de Indiase keuken, eigenlijk door de Portugezen naar India is gebracht. Tandoori kwam uit het Midden-Oosten naar India en het is uit India het ging naar Groot-Brittannië om een basisdieet te worden. De observatie van Sen is volkomen juist en deze culturele invloed als een tweerichtingsproces is goed gevangen door

Edward Said die in zijn *Cultuur en Imperialisme het* voorbeeld geeft van India met Groot-Brittannië en Algerije met Frankrijk zegt: "Verre van unitair of monolithisch of autonoom te zijn nemen culturen eigenlijk meer vreemde elementen, veranderingen, verschillen aan dan ze bewust uitsluiten" (Said 15).

Gedurende het hele gesprekstraject zien we dat Sen zowel Rabindranath als Satyajit vrij liberaal en niet allergisch is voor diverse culturen. Satyajit was inderdaad als Rabindranath die sterk geloofde in cultureel 'geven en nemen van beleid'. Nu kan hier de vraag opduiken of de neiging om andere culturen te benaderen, in het bijzonder Satyajit's indiaansheid, heeft beïnvloed. Sen is echter van mening dat hoewel Satyajit zich liet inspireren door de rest van de wereld, hij zijn werk nooit heeft gemaakt om tegemoet te komen aan wat het Westen van India verwacht. Zo aarzelde hij niet om aan te geven hoe sterk *Pather Panchali-* de diepzinnige film die hem meteen tot een wereldberoemde filmmaker maakte- werd beïnvloed door Vittorio Desica's *Bicycles*. Hoe dan ook, we moeten niet vergeten dat zijn film *Pather Panchali*, ondanks de invloed van *Bicycles,* bij uitstek een Indiase film is. Het is Indisch, zowel qua onderwerp als in de stijl van de presentatie, en deze Indischheid, met een grote inspiratiebron voor de mooie organisatie, kwam rechtstreeks uit een Italiaanse film. De invloed maakte Pather Panchali echter niet anders dan een Indiase film, maar het voegde er alleen maar kracht en kracht aan toe om een baanbrekende Indiase film te worden. En het doet me denken aan wat Bhaba in zijn *The Location of Culture* zegt over dit soort invloed: *"Het* geeft de scheiding effectief weer, maakt het zichtbaarder" (Bhaba 83).

Aangehaalde werken

Bhaba, K. Homi. *De plaats van de cultuur.* 1e ed., Routledge, 1994.

Bhattacharya, Shankarlal. "Amartya Lok". Ananda Bazar Patrika [Kolkata] 2 april 2016, p. XXCE 1.

Zei, Edward. *Cultuur en Imperialisme.* 1e druk, Vintage Book, 1994.

HOOFDSTUK - 5

SEN'S FOCUS OP CULTUUR: DE HUIDIGE RELEVANTIE ERVAN

Bij het lezen van *The Argumentative Indian* merk ik, en dat heb ik in de inleiding al gezegd, dat de voorgrond van Prof.Sen in principe draait om de Indiase traditie en cultuur, met name van het oude India, en dat zij de Indiase heterodoxie of openheid en argumentatieve aard laten zien. Wat ik echter mis, en ik weet zeker dat veel lezers het wat dat betreft met mij eens zullen zijn, is dat in de moderne context of meer precies in de recente context hoe India die stelling tentoonspreidt. Met andere woorden, houdt het moderne India of, om precies te zijn, het huidige India, dat om vele redenen, waaronder de opkomst van 'Right Wing Hindutva' in de politiek, getuige is van een groeiende 'intolerantie', die argumentatieve en heterodoxe traditie nog steeds in dezelfde mate in stand. Of worden ze nu aangevochten en terzijde geschoven? Zo ja, in welke mate? In antwoord hierop zou ik willen zeggen, ja tot op zekere hoogte, dat het privilege van argumentatie, zoals de omringende hedendaagse gebeurtenissen en kwesties laten zien, ontsierd wordt. In feite hebben in dit opzicht Prof. Sen en vele andere intellectuelen van dit land, waaronder een aantal academici zoals Prof. Mridula Mukherjee, D.N. Jha, Ranbir Chakraborty en nog veel meer, hun diepe bezorgdheid geuit. Wat Romila Thapar, Irfan Habib en andere drieënvijftig Indiase historici die in een joint venture hun bezorgdheid uitten, op de Indiase nieuwswebsite Scroll schreven, is in dit opzicht de moeite waard om in herinnering te roepen: "Verschillen van mening worden gezocht om te worden beslecht door gebruik te maken van fysiek geweld. Argumenten worden niet met tegenargumenten maar met kogels beantwoord" (Flood).

Bovendien zagen we tijdens de laatste drie jaar drieëndertig Sahitya Akademy Award winnaars, waaronder Nayantara Sahgal, K.N. Daruwalla, die hun diepe bezorgdheid uitten over de groeiende onverdraagzaamheid en het geweld in het land, hun prijzen teruggeven die door *The Indian Express* werden genoemd als "ongekende rebellie door de crème de la crème van India's literaire talent" (Bhardwaj).

In de discussie van Prof. Sen over India's cultuur van heterodoxie en argumentatie komen we te weten over de rol van onderwijsinstellingen die altijd geesten produceren met innovatieve ideeën en durf om vragen te stellen, waarbij ze hun rol in het bevorderen van de openheid van de geest en de scherpte van de articulatie in acht nemen. In dit opzicht zien we in de oude Indische geschiedenis de bijdrage van Taxila en de Nalanda Universiteit. In de afgelopen tijd zijn er echter in het onderwijs pogingen gedaan, en deze trend groeit in grote mate op, vanuit politieke groeperingen die gesteund worden door de huidige Indiase regering en die gedreven worden door de extreme Hindutva-ideologie, waarbij verschillende staatsapparaten voor dit doel worden gebruikt. En deze of gene poging om de onderwijssystemen en onderwijsinstellingen aan te vallen, is echt een zaak van grote zorg voor de Indiase argumentatie. In dit verband verdienen de recente incidenten op universiteiten als Jaharlal Neheru University, Beneras Hindu University en Aligarh Muslim University speciale aandacht. Bovendien heeft Prof. Sen, die zelf nauw betrokken was bij de restauratie en heropening van de Nalanda Universiteit na bijna vijftienhonderd jaar zeer nauwlettend geobserveerd hoe de huidige regering door de uitoefening van de politieke macht probeert de stemmen te beteugelen. In 2005 werd de beslissing genomen om de Nalanda Universiteit te heropenen en Prof, Sent was er in die discussie met de toenmalige president van India, Dr. A.P.J. Abdul Kalam en sinds 2007 bleef Prof. Sen de voorzitter van de Nalanda Mentor Group (NMG) en in november 2016 werd hij uit die functie verwijderd door de momenteel verkozen regering van India.De reden waarom Sen nooit heeft willen onthullen, is, dat het gevoeld kon worden, de verbositeit van Sen met betrekking tot de verschillende acties van de regering die deze lange traditie van heterodoxie of openheid en argumentativiteit van India in de war brengen.

Tot nu toe is de huidige trend van groeiende onverdraagzaamheid verontrustend, omdat Prof. Sen gelooft dat de Indiase samenleving nog steeds tolerant genoeg is en dat de sporadische incidenten van onverdraagzaamheid ten opzichte van 'anderen' te wijten zijn aan politieke steun, met name van de huidige regering die gelooft in de Radicale Hindutva-ideologie. En in feite, in tegenstelling tot de oude tijden waar we koninklijke steun zien voor het bevorderen van heterodoxie of openheid door middel van argumentatie, vooral tijdens Ashoka en Akbar, is er in het huidige India sprake van onopgeloste quaternaire pogingen om deze traditie te betuttelen. En dit wordt een beetje duidelijk uit het Indiase parlement dat verondersteld wordt de meest geschikte plaats te zijn om getuige te zijn van verschillende soorten tegenstrijdige argumenten van de parlementsleden voor de verbetering van het land. Dit ontbreekt echter op de een of andere manier in het parlement, dat met zijn kenmerken van Debat, Discussie en Besluit nu ook heel vaak getuige is van een andere 'D'- dat is Disruption. In dit verband kan worden vermeld dat in de afgelopen acht jaar, met uitzondering van 2014, het jaar 2017 het laagste aantal parlementaire zittingen heeft gekend, slechts 57. Daarom wordt in de huidige tijd door lauwwarme bijstand of overigens door latent verzet van de regering de traditie van argumentatie en heterodoxie op de een of andere manier aangetast.

In een andere dimensie wil ik me richten op enkele van de huidige academische trends in het bekijken van de geschiedenis van India. Met andere woorden, wat is hun houding bij het lezen van de geschiedenis van India. Kijken de historici en kritische theoretici op dezelfde manier naar de geschiedenis van India als Prof. Sen? Richten de huidige trends zich selectief op de verre culturen uit het verleden van India, zoals Prof. Sen dat in principe doet in *The Argumentative Indian.* Het antwoord is, voor een groot deel, nee. Vooral na de komst van Postkoloniale Theorie en Subaltern Studies ligt de nadruk vooral op het recente verleden van India. De postkoloniale theorie bespreekt uitsluitend kwesties als de geschiedenis van India's koloniale discours, de moderniteit, het discours van de boerenopstand, het machtsvertoon onder de Britse Raj. Evenzo zien we in Subaltern Studies, om David Ludden te citeren die ook Gayetry Chakrabarty Spivak citeert, "het koloniale onderwerp als de basiszorg van de theorievorming" (Ludden 15). En opmerkelijke figuren van Postkoloniale Theorie en Subaltern Studies zoals Ranajit Guha, Gayetry Chakrabarty, Partha Chaterjee, Gautam Bhadra, Sahid Amin, Dipesh Chakrabarty hebben veel licht geworpen op 'kleine stemmen' uit de geschiedenis. Met andere woorden, ze bekijken de Indiase koloniale en moderne geschiedenis vanuit de periferie of vanaf de basis. Daarom hebben Postkoloniale en Subalternische theoretici gewerkt en werken ze aan het schrijven van een alternatieve geschiedenis van India op het gebied van de geschiedschrijving en daarbij doen ze alsof ze blootleggen hoe de Indianen, om te citeren uit *Postcolonial Studies Reader*, "in toenemende mate werden overgehaald om zichzelf te kennen: dat is net zo ondergeschikt aan Europa" (Ashcroft 1). En dit traject wordt ook gevolgd door een andere psycholoog annex sociaal theoreticus, Ashis Nandy, die in zijn boek *The Intimate Enemy: Loss and Recovery of Self Under Colonialism* een kritiek geeft op het kolonialisme en daarmee zijn interesse in het recente verleden van India vastlegt. Daarom richten de huidige geleerden zoals Partha Chaterjee, Dipesh Chakrabarty en Ashis Nandy zich in principe op de Indiase koloniale en moderne geschiedenis, terwijl Prof. Sen zich in *The Argumentative Indian in* principe concentreert, hoewel hij in zekere zin ook spreekt over moderne kwesties als democratie en secularisme, in principe op een zeer rijk cultureel erfgoed van het oude India dat pleit voor heterodoxie of openheid en argumentativiteit.

Na de discussie over dergelijke trends, enerzijds op de academische niveaus die zich in principe richten op het recente verleden van India en op de echte grond van India, anderzijds, waar het voorrecht van heterodoxie en argumentatie aan banden wordt gelegd, rijst uiteraard de vraag naar de relevantie van de aanpak van Prof.Sen om de culturele traditie van India, met name het oude India, te bekijken. Hier zou ik willen beargumenteren dat de 'keuze' van Prof.Sen om naar India te kijken met een scherpe nadruk op de cultuur van heterodoxie of openheid en argumentativiteit, heel relevant is. En voor dit doel zou ik de aandacht willen vestigen op de periode waarin Prof. Sen schreef *The Argumentative Indian* (van 1995-2005) toen Right Wing Hindutva aan de macht was (1998-2004) en in het heden (2014 en later) legt Right Wing Hindutva zoveel nadruk op het oude verleden van India dat de NDA-regering onder leiding van de BJP in 1998 en 1999 instellingen als de National Council of Educational Research and Training (NCERT) en de Indian Council of Historical Research (ICHR) mobiliseerde om de geschiedenis te herschrijven met het oog op de weergave van het Hindutva-beeld van India. "Bloomer Galore in de NCERT teksten" was de krantenkop in de Hindustan Times. En ook in de huidige tijd zet deze tendens zich voort en dit komt goed tot uiting in de gezamenlijke verklaring van Romila Thapar, Irfan Habib en andere drieënvijftig geschiedkundigen op de Indiase nieuwswebsite *Scroll*: "Wat het regime lijkt te willen is een soort van legislatieve geschiedenis, een gefabriceerd beeld van het verleden, het verheerlijken van bepaalde aspecten ervan en het denigreren van andere aspecten"(*Scroll.in*). Met deze feiten in het achterhoofd konden we de boeken van Prof.Sen vandaag in, voor mij, twee subtiele opzichten relevant vinden. Ten eerste, door middel van *The Argumentative Indian* Prof. Sen misschien, hoewel hij dit nooit noemt, is het geven van een latente boodschap aan de rechter vleugel Hindutva beweging niet te vergeten, terwijl het kijken naar India's verleden, de diversiteit, heterodoxie of de openheid en argumentatie van India's verleden. En tegelijkertijd brengt hij misschien ook een boodschap over aan de gewone indianen om zich in hun cultuur te verdiepen en die twee gewoontes van heterodoxie of openheid en argumentatievermogen te blijven beoefenen. Hierin ligt misschien de relevantie van de nadruk die Prof. Sen legt op het verleden van India, doorspekt met een gevarieerde cultuur in *The Argumentative Indian.*

Let op:

1.Dit hoofdstuk is gepubliceerd als onderdeel van het onderzoeksartikel 'Culturele Chutzpa: A Trope in Asserting Indian Heterodoxy and Argumentativeness in Amartya Sen's *The Argumentative Indian'* in International Journal of English Language, Literature in Humanities (Volume 7, Issue 1, januari 2019).

Aangehaalde werken

Ashcroft, Bill, et al. *De Post-Colonial Studies Readers*. Routledge, 1995.

Bhardwaj, Ashutosh. "De Sahitya Akademy rij. Alles wat je moet weten". De Indische Express

[14] oktober 2015.

http://indianexpress.com/article/explained/writers-protest-what-returning-sahitya-akademi-honour-means/#sthash.68Tuil6a.dpuf

Overstroming, Alison. "Intellectuelen zullen het zwijgen worden opgelegd: historici zijn bang voor de Indiase regering." The Guardian. 30 oktober 2015.

https://www.theguardian.com/books/2015/oct/30/indian-historians-romila-thapar-irfan-habib-protest-government

Plotseling, David. "Een korte geschiedenis van Subalterniteit." 13 mei 2018.

http://jan.ucc.nau.edu/sj6/LuddenIntroduction.pdf

Scroll.in. "Huidig regime wil een 'legislatieve geschiedenis': 53 vooraanstaande historici ontkennen een gebrekkige sfeer", 29 oktober 2015. http://scroll.in/article/765688/current-regime-wants-a-legislated-history-53-leading-historians-decry-vitiated-atmosphere.

Sen, Amartya. *De Argumentatieve Indiaan.* Pinguïnboeken, 2005.

CONCLUSIE

Gedurende het hele traject van de discussie heb ik geprobeerd de uitbundige presentatie van de Indiase cultuur met haar veelzijdigheid op de voorgrond te plaatsen, en daarbij heb ik in principe geprobeerd het punt naar huis te halen dat India door zijn cultuur, vooral door die oude cultuur, zijn lange traditie van argumentatie en heterodoxie of wat dat betreft openheid tentoonspreidt die India misschien heeft gemaakt tot wat het nu is - de grootste seculiere democratie ter wereld. En het zijn deze twee aspecten die door het Westen vaak over het hoofd zijn gezien, die met hun vooringenomenheid en vooringenomenheid de Indiase cultuur en traditie alleen in termen van religiositeit, geboortestreek en primitiviteit benaderen. En de inspanning van Prof. Sen om *The Argumentative Indian* over de Indiase geschiedenis vanuit een ander perspectief te belichten, zou het Westen zeker doen nadenken over zijn eigen perceptie van India, waardoor het boek een soort nieuw *Oriëntalisme* zou worden.

Zoals ik al heb besproken, heeft Prof. Sen samen met vele andere kwesties zijn toevlucht genomen tot de Indiase cultuur die ik tot nu toe heb geprobeerd op de voorgrond te treden als een troop die de Indiase heterodoxie en argumentativiteit beweert. In feite heeft alles wat ik voor deze discussie heb gekozen - cultureel erfgoed met kenmerken van universele tolerantie en openheid, Tagore en Satyajit Roy als culturele polymaten, Indo - China relatie met betrekking tot cultuur - zowel een openlijke als een heimelijke bewering voor India's openheid en argumentatie. Men kan echter enige vraagtekens plaatsen bij een dergelijke interpretatie van de Indiase cultuur door te zeggen dat dit soort lauwe en subjectieve benadering van de presentatie van de cultuur van Sen eenzijdig is, omdat er bepaalde nadelen zijn in de presentatie van de vroegere traditie van Sen in de huidige context. In antwoord hierop zou ik willen zeggen dat, hoewel ik al heb gesproken over de huidige relevantie van het boek van Sen, de geschiedenis, de traditie of wat dat betreft cultuurkwesties nooit objectief kunnen worden bekeken. In deze context word ik herinnerd aan wat M. K. Naik, die

Paul Valery citeert, zegt: "Een werk is nooit noodzakelijkerwijs af voor hij die het heeft gemaakt is nooit af" (Naik Preface).

Let op:

1.Dit hoofdstuk is gepubliceerd als onderdeel van het onderzoeksartikel 'Culturele Chutzpa: A Trope in Asserting Indian Heterodoxy and Argumentativeness in Amartya Sen's *The Argumentative Indian'* in International Journal of English Language, Literature in Humanities (Volume 7, Issue 1, januari 2019).

Aangehaalde werken

Naik, M.K. Voorwoord. *Een geschiedenis van de Indiase Engelse literatuur.* 1e uitgave..,

BIBLIOGRAPHY

Primaire bron

Sen, Amartya. *De Argumentatieve Indiaan.* Pinguïnboeken, 2005.

Secundaire bronnen

Ashcroft, Bill, et al. *De Post-Colonial Studies Readers*. Routledge, 1995.

Basham, A.L. *The Wonder That Was India.* 1e ed., The Macmillan Co,1959.

Bhaba, K. Homi. *De plaats van de cultuur.* 1e ed., Routledge, 1994.

Bloom, Harold. *De Westerse kanunnik.* 1e uitgave, Harcourt Brace & Company, 1994.

Collins. "Definitie van 'Chutzpa".

11 mei. 2018. https://www.collinsdictionary.com/dictionary/english/chutzpah

Cuddon, J.A. *Een Woordenboek van Literaire Termen en Literaire Theorie. 5e editie,* Wiley -Blackwell, 2013.

Dalrymple, William. "De Argumentatieve Indiër: Schriften over de Indische Geschiedenis cultuur en Identiteit". 10 april 2018. Project Muze.

https://muse.jhu.edu/article/196167/pdf

Overstroming, Alison. "Intellectuelen zullen het zwijgen worden opgelegd: historici zijn bang voor de Indiase regering." The Guardian. 30 oktober 2015.

https://www.theguardian.com/books/2015/oct/30/indian-historians-romila-thapar-irfan-habib-protest-government

Gupta, K. Anil en Haiyan Wang. "China en India Grotere Economische Integratie." 1 september 2009. China Business Review.

https://www.chinabusinessreview.com/china-and-india-greater-economic-integration/

Leavis, F.R. *The Great Tradition*: George Eliot, Henry James, Joseph Conrad. [1e] uitgave. Chatto&Eindus, 1948.

Plotseling, David. "Een korte geschiedenis van subalterniteit." 13 mei 2018.

http://jan.ucc.nau.edu/sj6/LuddenIntroduction.pdf

Naik, M.K. *A History of Indian English Literature.* [1e] uitgave, Sahitya Akademy, 1982.

Kulke, Hermann, en Dietmar Rothermund. *Een geschiedenis van India.* [3de] editie, Routledge, 1998.

Roy. D L. "Dhono Dhanna Pushepe Bhora." 13 mei 2018.

https://www.linkedin.com/pulse/dhono-dhanne-pushpe-bhora-english-translationby-sri-roy-lahiri

Zei, Edward. *Cultuur en Imperialisme.* [1e] druk, Vintage Book, 1994.

Sharma, R.S. *The Ancient India.* [2de] editie, NCERT,1980.

Thapar, Romila. *Vroeg India.* Pinguïn, 2002.

Tudor, Andrew. *Decoderingscultuur*: *Theorie en Methode in Culturele* Studies. [1e] uitgave, Sage Publications, 1999.

Waugh, Patricia. *Literaire theorie en kritiek.* [1e] uitgave, Oxford University Press, 2006.

Wikipedia. "Heterodoxie". [10] mei 2018.

https://en.m.wikipedia.org/wiki/Heterodoxy

Williams, Raymond. *Cultuur en maatschappij.* [1e] druk, Ankerboeken, 1959.

FSC
www.fsc.org
MIX
Papier aus ver-
antwortungsvollen
Quellen
Paper from
responsible sources
FSC® C141904

Druck:
Customized Business Services GmbH
im Auftrag der
KNV Zeitfracht GmbH
Ein Unternehmen der Zeitfracht - Gruppe
Ferdinand-Jühlke-Str. 7
99095 Erfurt